Sapo y Sepo son amigos

por ARNOLD LOBEL

SCHOLASTIC INC.

New York   Toronto   London   Auckland   Sydney

Para Barbara Borack

Originally published as *Frog and Toad Are Friends*

ISBN 0-590-00660-6

12 11 10 9 8 7 6 5 4 3   8 9/9 0 1 2 3/0

Printed in the U.S.A.   23

First Scholastic printing, May 1998

Índice

Primavera

Sapo subió corriendo por el sendero
a la casa de Sepo.
Llamó a la puerta.
Nadie contestó.
—Sepo, Sepo —gritó Sapo—,
despierta. ¡Ha llegado
la primavera!

—Bah —dijo una voz
dentro de la casa.

—¡Sepo! ¡Sepo! —gritó Sapo—.
¡Brilla el sol!

—La nieve se está derritiendo.
¡Despierta!

—Yo no estoy —dijo la voz.

Sapo entró en la casa.

Estaba oscuro.

Todas las contraventanas
estaban cerradas.

—Sepo, ¿dónde estás? —le llamó
Sapo.

—Vete —dijo la voz

desde una esquina de la habitación.

Sepo estaba en la cama.

Se había echado las mantas

por encima de la cabeza. Sapo

sacó a Sepo de la cama empujándole

Le sacó de la casa empujándole

hasta el porche de entrada.

Sepo parpadeó por el brillo del sol.

—¡Socorro! —dijo Sepo —.

No puedo ver nada.

—No seas bobo —le dijo Sapo—.

Lo que ves es la

clara luz cálida de abril.

Y eso significa

que podemos empezar

todo un nuevo año juntos, Sepo.

Date cuenta, podremos saltar

por los prados y correr por

los bosques

y nadar en el río.

Por las tardes nos sentaremos

aquí mismo en este porche

y contaremos las estrellas.

—Cuéntalas tú, Sapo

—dijo Sepo—. Yo estaré demasiado
cansado. Me vuelvo a la cama.

Sepo volvió a entrar en la casa.

Se metió en la cama

y se echó las mantas

otra vez por encima de la cabeza.

—Pero Sepo —gritó Sapo—,

¡te vas a perder todo lo divertido!

—Escucha, Sapo —dijo Sepo—.

¿Cuánto tiempo he estado dormido?

—Has estado dormido
desde noviembre —dijo Sapo.
—Bueno —dijo Sepo—,
entonces un poco más de sueño
no me hará daño.
Vuelve otra vez y despiértame
a mediados de mayo.
Buenas noches, Sapo.

—Pero Sepo —dijo Sapo—,
hasta entonces estaré solo.

Sepo no contestó.

Se había quedado dormido.

Sapo miró el calendario de Sepo.

La página de noviembre estaba
todavía encima.

Sapo arrancó la página de noviembre.

Arrancó la página de diciembre.
Y la página de enero,
la página de febrero,
y la página de marzo.
Llegó a la página de abril.
Sapo arrancó también la página
de abril.

Luego Sapo volvió corriendo

a la cama de Sepo.

—Sepo, Sepo, despierta. Ya es mayo.

— ¿Qué? —dijo Sepo—.

¿Puede ser mayo tan pronto?

— Sí —dijo Sapo—. Mira tu calendario.

Sepo miró el calendario.

La página de mayo estaba encima.

¡Pues sí, *es* mayo! —dijo Sepo,
mientras salía trepando de la cama.
Luego, él y Sapo
corrieron afuera
a ver cómo estaba el mundo
en primavera.

El cuento

Un día de verano
Sapo no se sentía bien.
Sepo le dijo:
—Sapo, estás completamente verde.
—Pero yo siempre estoy verde
—dijo Sapo—. Soy un sapo.
—Hoy estás muy verde, incluso para
ser un sapo —dijo Sepo—.
Métete en mi cama y descansa.
Sepo hizo a Sapo una taza de té
bien caliente.

Sapo se bebió el té y luego dijo:

—Cuéntame un cuento

mientras descanso.

—Está bien —dijo Sepo—. Déjame
pensar en un cuento para contarte.
Sepo pensaba y pensaba,
pero no se le occurría un cuento
para contar a Sapo.

—Saldré al porche

y pasearé de un lado a otro

—dijo Sepo—. Quizás eso me ayude

a imaginarme un cuento.

Sepo paseó de un lado a otro

del porche durante mucho rato,

pero no se le ocurría un cuento

para contar a Sapo.

Luego Sepo entró en la casa
y se puso cabeza abajo.

—¿Por qué te pones
cabeza abajo? —le preguntó Sapo.

—Espero que estar cabeza abajo
me ayude
a imaginarme un cuento —dijo Sepo.

Sepo estuvo cabeza abajo
durante mucho rato.
Pero no se le ocurría
un cuento para contar a Sapo.

Luego Sepo

se echó un vaso de agua

por la cabeza.

—¿Por qué te echas agua

por la cabeza? —le preguntó Sapo.

—Espero que echarme agua

por la cabeza,

me ayude a imaginarme

un cuento —dijo Sepo.

Sepo se echó muchos vasos de agua

por la cabeza.

Pero no se le ocurría

un cuento

para contar a Sapo.

Luego Sepo empezó
a golpearse la cabeza
contra la pared.

—¿Por qué te golpeas
la cabeza contra
la pared? —le preguntó Sapo.

—Espero que golpeándome
duramente
la cabeza contra
la pared,
podré imaginarme
un cuento
—dijo Sepo.

—Ya me siento
mucho mejor, Sepo

—dijo Sapo—. Creo
que ya no necesito un cuento.
—Entonces sal de la cama
y déjame meterme a mí —dijo Sepo—
porque ahora yo me siento fatal.
Sapo dijo:
—¿Te gustaría que yo
te contara un cuento, Sepo?
—Sí —dijo Sepo—, si sabes alguno.

—Había una vez —dijo Sapo—

dos buenos amigos sapos:

uno se llamaba Sapo y el otro Sepo.

Sapo no se sentía bien.

Y pidió a su amigo Sepo

que le contara un cuento.

Sepo no supo imaginarse un cuento.

Paseó de un lado al otro del porche,

pero no se le ocurría un cuento.

Se puso cabeza abajo,

pero no se le ocurría un cuento.

Se echó agua por la cabeza,

pero no se le ocurría un cuento.

Se golpeó la cabeza contra la pared,

pero ni aun así se le ocurría
un cuento.

Luego fue Sepo el que no
se sintió bien,
mientras que Sapo se sentía mejor.

Así que Sepo se metió en la cama
y Sapo se levantó
y le contó un cuento.

Fin

¿Qué tal,
Sepo?

Pero Sepo no contestó.

Se había quedado
dormido.

Un botón perdido

Sepo y Sapo

se fueron a dar un largo paseo.

Caminaron por

un extenso prado.

Caminaron por el bosque.

Caminaron a lo largo del río.

Al final volvieron a casa,

a la casa de Sepo.

—¡Ah, maldición! —dijo Sepo—.

No sólo me duelen los pies, sino
que he perdido
un botón de la chaqueta.

—No te preocupes —dijo Sapo—.
Volveremos
a todos los sitios por donde
anduvimos.
Pronto encontraremos tu botón.
Volvieron al extenso prado.
Empezaron a buscar el botón
entre la hierba alta.

—¡Aquí está tu botón! —gritó Sapo.

—Ése no es mi botón —dijo Sepo—.

Ese botón es negro.

Mi botón era blanco.

Sepo se metió el botón negro

en el bolsillo.

Un gorrión bajó volando.

—Perdona —dijo el gorrión—. ¿Has
perdido un botón? Yo encontré uno.

—Ése no es mi botón —dijo Sepo —.
Ese botón tiene dos agujeros.
Mi botón tenía cuatro agujeros.
Sepo se metió el botón de dos agujeros
en el bolsillo.

Volvieron al bosque
y miraron por los oscuros senderos.
—Aquí está tu botón —dijo Sapo.
—Ése no es mi botón —gritó Sepo—.
Ese botón es pequeño.
Mi botón era grande.
Sepo se metió el botón pequeño
en el bolsillo.

Un mapache salió de detrás de un árbol.

—He oído que estabais buscando

un botón —dijo—.

Aquí tengo uno que acabo de encontrar.

—¡Ése no es mi botón! —se quejó

Sepo—. Ese botón es cuadrado.

Mi botón era redondo.

Sepo se metió el botón cuadrado

en el bolsillo.

Sapo y Sepo volvieron al río.

Buscaron el botón

en el fango.

—Aquí está tu botón —dijo Sapo.

—¡Ése no es mi botón! —gritó

Sepo—. Ese botón es fino.

Mi botón era gordo.

Sepo se metió el botón fino
en el bolsillo. Estaba muy enfadado.
Saltaba sin parar
y chillaba:
—¡El mundo entero
está cubierto de botones
y ninguno es el mío!

Sepo se fue corriendo a casa
y dio un portazo.
Allí, en el suelo, vio su botón blanco,
con cuatro agujeros,
grande, redondo y gordo.
—¡Oh! —dijo Sepo—.
Estuvo aquí todo el tiempo.
Cuántas molestias le he causado a Sapo.

Sepo sacó todos los botones
del bolsillo.
Cogió la caja de la costura
de la repisa.
Sepo cosió los botones
por toda la chaqueta.

Al día siguiente Sepo le dio

su chaqueta a Sapo.

Sapo pensó que la había dejado preciosa.

Se la puso y saltó de alegría.

No se cayó ni un botón.

Sepo los había cosido muy bien.

Un baño

Sepo y Sapo
bajaron al río.
—Vaya día para un baño
—dijo Sapo.
—Sí —dijo Sepo—.
Me colocaré detrás de estas rocas
y me pondré el traje de baño.
—Yo no uso traje de baño
—dijo Sapo.
—Pues yo sí —dijo Sepo—.

Después de que me ponga
el traje de baño, no debes mirarme
hasta que me meta en el agua.

—¿Por qué no?

—preguntó Sapo.

—Porque estoy

ridículo en traje de baño.

Por eso —dijo Sepo.

Sapo cerró los ojos cuando Sepo

salió de detrás de las rocas.

Sepo llevaba puesto el traje de baño.

—No me mires de reojo —dijo.

Sapo y Sepo saltaron al agua.

Estuvieron nadando toda la tarde.

Sapo nadaba rápido

y salpicaba mucho.

Sepo nadaba despacio

y salpicaba poco.

Una tortuga vino por la orilla del río.

—Sapo, dile a esa tortuga
que se vaya —dijo Sepo—. No quiero
que me vea
en traje de baño
cuando salga del río.

Sapo se acercó nadando a la tortuga.

—Tortuga —le dijo Sapo—,
tienes que irte.

—¿Por qué tengo que irme?

—preguntó la tortuga.

—Porque Sepo cree que
está ridículo en traje de baño
y no quiere que le veas —dijo Sapo.

Unos lagartos estaban sentados
allí cerca.

—¿Está Sepo realmente ridículo
en traje de baño? —preguntaron.
Una serpiente salió arrastrándose
de la hierba.

—Si Sepo está ridículo
en traje de baño —dijo la serpiente—

entonces yo sí quiero verle.

—Nosotros queremos
verle también —dijeron
dos libélulas.

—Yo también —dijo un ratón silvestre—.
No he visto nada ridículo
en mucho tiempo.

Sapo volvió nadando con Sepo.

— Lo siento, Sepo —dijo —. Todos
quieren ver qué pinta tienes.

—Entonces me quedaré aquí
hasta que se vayan —dijo Sepo.

La tortuga, los lagartos,
la serpiente, las libélulas
y el ratón silvestre,
todos se sentaron en la orilla del río.

Esperaban que Sepo saliera
del agua.

—Por favor —gritó Sepo —.
¡Por favor, marchaos!

Pero nadie se fue.

Sepo tenía cada vez más frío.

Empezaba a tiritar y a estornudar.

—Tendré que salir del agua

—dijo Sepo —. Me estoy resfirando.

Sepo salió del río
a rastras.
El agua chorreaba de su traje
de baño
y le caía a los pies.

La tortuga se echó a reír.

Los lagartos se echaron a reír.

La serpiente se echó a reír.

El ratón silvestre se echó a reír.

Y Sapo se echó a reír.

—¿De qué te ríes, Sapo?

—dijo Sepo.

—Me río de ti, Sepo

—dijo Sapo—,

porque estás *de verdad* ridículo

en traje de baño.

—Por supuesto que sí —dijo Sepo.

Entonces recogió su ropa

y se fue a casa.

La carta

Sepo estaba sentado en el porche.

Sapo pasó por allí y dijo:

—¿Qué te pasa, Sepo?

Pareces triste.

—Sí —dijo Sepo—.

Éste es mi rato triste del día.

Es el momento

en que espero que venga el correo.

Me hace siempre muy desgraciado.

—¿Y eso por qué? —preguntó Sapo.

—Porque nunca tengo carta

—dijo Sepo.

—¿Nunca? —preguntó Sapo.

—No, nunca —dijo Sepo—. Nadie
me ha enviado nunca una carta.
Todos los días mi buzón está vacío.
Por eso esperar el correo
es un momento triste para mí.
Sapo y Sepo se sentaron en el porche,
sintiéndose tristes juntos.

Luego Sapo dijo:

—Tengo que irme a casa ya, Sepo.
Hay algo que debo hacer.

Sapo se marchó a su casa rápidamente.

Encontró un lápiz

y un trozo de papel.

Escribió en el papel.

Metió el papel en un sobre.

En el sobre escribió

"CARTA PARA SEPO".

Sapo salió corriendo de su casa.

Vio un caracol al que conocía.

—Caracol —dijo Sapo—,

por favor, toma esta carta para Sepo

y ponla en el buzón de su casa.

—De acuerdo —dijo el caracol—.

Ahora mismo.

Luego Sapo volvió corriendo a la casa
de Sepo. Éste estaba en la cama,
echándose la siesta.

—Sepo —dijo Sapo—,
creo que debes levantarte
y esperar el correo un poco más.

—No —dijo Sepo—,
estoy cansado de esperar el correo.

Sapo miró por la ventana
el buzón de Sepo.

El caracol no había llegado todavía.

—Sepo —dijo Sapo—, nunca se sabe
cuándo puede enviarte alguien
una carta.

—No, no —dijo Sepo—. Creo que

nadie me enviará nunca una carta.

Sapo miró por la ventana.

El caracol todavía no había llegado.

—Pero, Sepo —dijo Sapo—,

alguien puede enviarte una carta hoy.

—No seas bobo —dijo Sepo—.

Nadie me ha enviado nunca

una carta antes y nadie

me enviará una carta hoy.

Sapo miró por la ventana.

El caracol todavía no había llegado.

—Sapo, ¿por qué te quedas mirando
por la ventana? —preguntó Sepo.

—Porque ahora estoy esperando
el correo —dijo Sapo.

—Pero no habrá nada —dijo Sepo.

—¡Oh!, sí que habrá —dijo Sapo—,

61

porque yo te he enviado una carta

—¿De verdad? —dijo Sepo —.

¿Qué has escrito en la carta?

Sapo dijo:

—Escribí: "Querido Sepo, estoy

contento de que tú

seas mi mejor amigo.

Tu mejor amigo, Sepo".

— ¡Oh! –dijo Sepo—,

es una carta preciosa.

Entonces Sapo y Sepo salieron

al porche de la entrada

a esperar el correo.

Se sentaron allí,

sintiéndose felices juntos.

Sapo y Sepo esperaron mucho rato.

Cuatro días más tarde

el caracol llegó a la casa de Sepo

y le dio la carta de Sapo.

Sepo se alegró mucho de recibirla.